Elisa

Pour Alexis et Chloé Rosenfeld,
S. M.

L'orthographe rectifiée, qui fait désormais référence
dans les programmes scolaires, est appliquée dans cet ouvrage.

© 2012, Éditions Nathan, SEJER, 25 avenue Pierre de Coubertin, 75013 Paris
Loi n° 49-956 du 16 juillet 1949 sur les publications destinées à la jeunesse,
modifiée par la loi n°2011-525 du 17 mai 2011
ISBN : 978-2-09-253394-9
N° d'éditeur : 10244881 – Dépôt légal : mai 2012
Achevé d'imprimer en mars 2018 par Pollina (85400 Luçon, Vendée, France) - 84506

Susie Morgenstern

la famille trop d'filles

Elisa

Illustrations de Clotka

Elisa ne marche pas, elle flotte. Elle flotte dans la cuisine, la cour de récréation, la classe, le parking du centre culturel. Ce n'est pas du sang qui coule dans ses veines, mais de la grâce, de l'élégance, de l'allégresse. Elle est née comme ça. Elle n'est jamais tombée, et du jour où elle a effectué ses premiers pas, ses pieds se sont mis à voler. Elisa n'a pas besoin de se demander ce qu'elle fera plus tard. Elle sera ce qu'elle est déjà : une danseuse.

Elisa voudrait voir le monde entier danser !
Alors, elle crée des chorégraphies et essaie tant
bien que mal de faire danser ses sœurs aussi.
Souvent, c'est son petit frère, Gabriel, qui se
montre le plus coopératif. Il est si léger qu'elle
arrive à le soulever dans des pas de deux un
peu maladroits.

Comme Elisa danse partout et tout le temps,
Bella lui a écrit un scénario pour un ballet.
C'est l'histoire d'une fille qui danse dans le
métro pour gagner de quoi vivre grâce aux
pièces que les passants lui jettent. Un jour, un
célèbre chorégraphe passe par là et la repère...
et elle devient la danseuse étoile d'une grande
troupe ! Il ne manque plus que la musique, et le
ballet sera parfait.

En revanche, aucune des sœurs d'Elisa n'est
réellement disposée à danser : Anna n'a jamais

le temps. Il faut ranger la maison, faire ses devoirs, s'occuper de tout le monde... Bella a toujours d'autres chats à fouetter, un poème à composer ou un chapitre à lire. Cara passe son temps chez ses copines. Dana n'arrête pas de faire le clown. Et Flavia ne veut rien savoir... parce que Flavia est comme ça ! Quant à Billy, le garçon au pair, il a deux jambes de plomb

et il confond la gauche et la droite, même quand Elisa lui crie en anglais « *left!* » ou « *right!* ».

Parfois, Elisa se dit qu'elle serait même prête à recruter pour son ballet l'horrible Mary Jane, la copine de Billy, qu'aucun des membres de la fratrie ne supporte. Mais Mary Jane ne connait qu'une seule activité : la lecture des magazines de mode.

En fait, ceux qui participent le plus à son rêve d'une famille dansante, ce sont ses parents... quand ils sont là. Elisa adore voir son père et sa mère valser, danser le tango ou la salsa. Son père a même commencé à lui apprendre les danses de salon... dans la cuisine, où il y a plus d'espace.

Oui, l'espace est aussi un gros problème pour Elisa.

Car dans cette maison, encombrée par les affaires de dix personnes et par ces dix personnes elles-mêmes, il n'y a pas la place pour faire des pirouettes, des entrechats, des courbettes, des pointes et des sauts. Au printemps et en été, ce n'est pas un souci : Elisa peut danser dans la cour. En revanche, en hiver, elle est comme une bête en cage. Alors, elle ne vit que pour son cours du mercredi... Là, elle peut se lancer dans le vaste espace de la salle, avec son beau parquet et son immense miroir. Le reste de la semaine, elle danse dans sa tête ou sur la route de l'école, en mettant la table ou en faisant son lit. Et pendant les repas elle fait valser sa fourchette et son couteau comme si c'était un couple de danseurs. Elle a vu ça dans un film de Charlot.

CHAPITRE 2

À l'école, au lieu de suivre les cours, Elisa a la tête pleine d'arabesques et d'échappées. Rien n'y fait, ni les rappels à l'ordre de sa maitresse, ni les mots dans le carnet, ni les réprimandes de ses parents. Elisa transforme un rectangle en scène d'opéra, une règle de grammaire en indication scénique et une leçon d'histoire en tragédie à interpréter !

Les seuls moments où elle est attentive, c'est lorsqu'on parle du corps humain. Par exemple, quand la maitresse a demandé aux élèves de rédiger une liste d'expressions qui contiennent le mot « pied ».

La jeune danseuse n'a aucune difficulté à dénicher « casser les pieds », « trouver chaussure à son pied », « être sur pied », « d'arrache-pied ». Le soir, à table, la petite famille contribue à sa liste : « au pied levé », « bon pied, bon œil », « de pied ferme ». Gabriel, passionné de foot, pense à « un coup de pied », et Bella, qui est si timide, connait bien l'expression « perdre pied ». Flavia, de son côté, se lève « du pied gauche » tous les matins. Anna, avec son esprit pratique, apprend à ses frère et sœurs à « mettre un pied devant l'autre ». Billy trouve beaucoup d'expressions en anglais : « *put your foot down* », « *foot the bill* », « *put the shoe on the right foot* »... mais ça fait une belle jambe à Elisa, qui n'y comprend rien !

En tout cas, Elisa, les pieds, ça la connait ! Avec la danse, les siens sont souvent douloureux, et elle quémande souvent des massages aux membres de sa famille. Là encore, le seul à bien vouloir l'aider est Gabriel, mais seulement si elle le masse en retour. Pour ces deux-là, se faire chouchouter les pieds, c'est le meilleur cadeau qu'on puisse recevoir. Ça leur fait un bien fou !

CHAPITRE 3

Elisa a beau avoir souvent mal aux pieds, elle est obsédée par l'idée de monter sur ses pointes pour ressembler enfin à une vraie ballerine... et cela malgré les avertissements de son professeur de danse, qui interdisent qu'on pratique cet exercice avant l'âge de dix ou onze ans. Oui, mais Elisa ne veut pas passer sa vie à attendre ! Elle donnerait sa main droite contre une paire de chaussons... sauf qu'une ballerine ou une danseuse étoile sans main ne serait pas vraiment belle.

Ce mercredi, avant l'arrivée de sa prof, elle se met à la barre et s'exerce à tenir sur ses orteils aplatis. Elle s'agrandit jusqu'au ciel, quand la prof entre et la gronde :

– Elisa ! Combien de fois te l'ai-je déjà dit ? Les os de tes pieds n'ont pas fini leur croissance. Tu pourrais te blesser grièvement ! Que feras-tu si tu te retrouves avec des déformations définitives ? Faut-il que je t'exclue du cours pour que tu comprennes ? Je ne veux pas d'enfants estropiés !

Elisa est la meilleure élève du cours. D'habitude, elle écoute toujours attentivement les conseils de sa professeur, mais pour les pointes, la tentation est trop forte, et partout elle se met sur les pointes : en s'accrochant au dos d'une chaise, à la rampe de l'Abribus, aux épaules de Gabriel... Elle trouve injuste cette attente

imposée par la prof (et, accessoirement, par l'anatomie).

Heureusement, elle a un grand complice au cours de danse. Eliott lui ressemble tellement qu'on les appelle « les jumeaux ». Ils ont tous les deux les cheveux chatains et les yeux verts. Eliott est plus grand qu'Elisa, ce qui est parfait pour les pas de deux qu'ils s'amusent à faire. Ils sont longs, minces et musclés et ils sont des danseurs-nés. Ils partagent la même passion.

Pour l'instant, ils sont seulement partenaires de danse et amis, mais Elisa est sure qu'ils vont se marier un jour.

Alors, lorsque leur professeur leur propose un stage de danse pendant les vacances, Eliott et Elisa sont fous de joie. Cependant, leur excitation retombe bien vite. Les parents du jeune garçon adorent faire du ski et veulent qu'il en fasse aussi, et la fillette sait que le prix du stage sera trop élevé pour ses parents. Elle imagine déjà leur réaction : « Un stage, ça va ! Sept stages, bonjour les dégâts ! »

C'est doublement injuste.

Non seulement elle doit attendre pour se mettre sur les pointes, mais en plus ses parents ne sont pas assez riches pour lui payer un petit stage de rien du tout !

Du coup, elle profite de leur présence pour négocier, pleurnicher, mendier :

– Vous ne vous rendez pas compte, il y aura des professeurs de l'École nationale de l'Opéra !

– Écoute, ma chérie, dit son père, j'ai sept enfants. Sept stages nous couteraient deux mois de salaire !

– Mais les autres n'ont pas de stage !

– Quoi ? s'exclame Dana. Il y a un super stage de cirque. Je n'ai même pas osé demander aux parents, parce que je connaissais d'avance la réponse !

– J'ai repéré un stage de radio, moi ! proteste Anna.

– Et moi, je pourrais faire un stage de théâtre à Paris ! carillonne Cara.

– Je voudrais faire un stage de foot avec l'O.M. ! ajoute Gabriel.

Bella reste muette... Si seulement ils pouvaient tous partir à leurs fameux stages pour qu'elle puisse lire et écrire en paix !

Flavia non plus ne dit rien. Elle pense presque comme Bella. Sauf que si elle souhaite être tranquille, c'est juste pour être libre de ne rien faire !

CHAPITRE 4

Elisa est désespérée. Le soir, dans son lit, elle n'arrive pas à s'endormir. Elle doit suivre cette formation, coute que coute ! Et puisque personne ne veut l'aider dans cette famille, elle se débrouillera toute seule. Et la seule solution, elle la connait... Il faut qu'elle trouve un travail !

Après l'école, elle fait le tour des magasins de son quartier et propose ses services. Les propriétaires l'accueillent en riant. Pourtant, il n'y a rien de drôle ! Seul un bonhomme dans

une boutique de vêtements lui explique qu'il y a des lois dans ce pays : il est interdit d'employer des enfants. Elle ne se rend pas compte de la chance qu'elle a. Dans certaines parties du monde, les enfants sont obligés de travailler pour ne pas mourir de faim... Ils descendent dans des mines noires au lieu d'aller à l'école et d'apprendre à lire !

« C'est vrai, se dit Elisa, mais entre les extrêmes, il y a peut-être un juste milieu... »

Elle réfléchit, et il lui vient une idée : elle pourrait créer une chorégraphie avec Eliott et demander un billet d'entrée de cinq euros pour le spectacle.

– Oui, mais qui payer pour venir ? demande Billy. Et qui venir même si c'est gratuit, à part ta famille ?

Alors, Elisa pense au scénario de Bella. Une fin d'après-midi, elle traine Eliott dans le métro avec un lecteur de CD qui joue *Le Lac des cygnes*. Tant pis si cette musique n'a rien à voir avec

l'histoire de Bella ! Cara a été engagée comme accompagnatrice. Ce n'est pas la première fois que la détermination d'Elisa les entraine dans des aventures un peu folles ! Ils sont effrayés et Eliott n'arrête pas de dire « Ça ne va pas marcher ! On rentre ! ». Il sait pourtant qu'on ne plaisante pas avec la volonté d'Elisa. Ils s'installent dans un coin relativement calme et commencent le spectacle. Bientôt, une sorte d'énorme troupeau arrive vers eux, sans vraiment les regarder. Peu importe, ils continuent de danser. Petit à petit, des gens s'arrêtent et jettent des pièces. Ils ramassent dix-neuf euros et vingt centimes.

Malheureusement, une voisine les reconnait et les gronde en disant qu'ils sont trop jeunes pour être seuls dans le métro. Le soir, elle appelle les parents d'Eliott, qui lui interdisent d'y retourner. Dommage ! Ça marchait bien ! En un mois, ils auraient eu de quoi payer le stage !

— Et si on vendait quelque chose à manger ? propose alors Elisa, qui ne se démonte pas pour si peu, à Eliott. On pourrait faire des gâteaux.

— Et on les vendrait à qui ? demande son copain.

— Aux voisins ! Mais pas à ta voisine à toi !

Ils suivent la seule recette qu'Elisa connait : celle du gâteau au yaourt. Eliott a tous les ingrédients nécessaires chez lui. Le gâteau a l'air plutôt bon. Néanmoins, en coupant les douze tranches prévues, le jeune danseur se rend compte que même s'ils vendent la part à un euro, ils ne gagneront que douze euros.

— C'est vrai, mais douze euros tous les jours jusqu'en février... et on aura assez, rétorque Elisa.

– Mais les gens vont se lasser du gâteau...
Et si mes parents me forcent à faire du ski, ça
n'aura servi à rien !

Décidément, ce n'est pas gagné.

CHAPITRE 5

Elisa passe la nuit suivante à imaginer de nouvelles idées pour gagner de l'argent, et convaincre les parents d'Eliott que le ski c'est dangereux et qu'il pourrait se casser la jambe... Déjà qu'il est le seul garçon du cours de danse !

Le dimanche, les deux partenaires organisent un vide-grenier devant chez Elisa. Ils explorent leurs tiroirs et leurs placards pour remplir un carton de bric-à-brac. La fillette est prête à dire adieu à ses figurines de danseuses et Eliott essaie de vendre ses vieux chaussons, mais ça n'intéresse personne et ils remballent leurs affaires. Finalement, Elisa n'est pas mécontente de pouvoir garder ses précieuses figurines !

Toutefois, elle n'a pas dit son dernier mot : la semaine qui suit, lorsqu'elle voit dans la rue une voiture si crasseuse qu'on ne distingue rien au travers des vitres, elle appelle tout de suite Eliott. Ils se mettent à briquer la voiture avec des éponges, et de l'eau savonneuse. En revenant près de son auto, le propriétaire se

fâche. Ils auraient dû lui demander son autorisation ! Heureusement, il leur donne quand même un peu d'argent.

Sur le chemin du retour, Elisa croise une vieille dame qui promène son chien.

– Si vous voulez, je peux le promener tous les jours, lui dit-elle.

– Si vous promenez mon chien, mademoiselle, je n'aurai plus rien à faire... C'est mon seul exercice !

Elisa court au parc et fait la même offre à tous les couples humain-chien qu'elle rencontre, sans plus de succès.

Un peu découragée, elle en vient même à proposer des cours de français à Billy, qui fait décidément trop de fautes. Mais Billy n'a pas le temps de rester assis sur une chaise à écouter les leçons d'Elisa...

Cette fois, la fillette est désespérée. Elle n'aura jamais suffisamment d'argent pour le stage de danse ! Déçue, elle s'enferme dans sa chambre, autant qu'on puisse s'enfermer dans une chambre pour six personnes... Elle n'en sort pas pour diner, se couche tout habillée sans dire un mot à qui que ce soit.

Comme le lendemain Elisa a toujours l'air aussi morose, Dana prend les choses en main. Elle téléphone à Grand-Mère Léo pour lui expliquer

cette histoire de stage de danse qui est si important pour Elisa. Elle lui indique la somme qu'il faut et lui dit même qu'elle est certaine que sa sœur serait prête à renoncer à sa journée de plaisir avec elle si elle pouvait l'aider.

En effet, une fois par an, Grand-Mère Léo offre à chacun de ses petits-enfants quelques jours exceptionnels.

Grand-Mère Léo réfléchit, puis demande à parler à sa petite danseuse.

– Je vais financer ton stage. Cette année, tu auras une bourse spéciale danse... Mais attention, l'an prochain, tu devras passer un peu de temps avec moi !

Elisa est si heureuse qu'elle embrasse le téléphone. Puis elle fait plein de bisous à ses sœurs, prend Gabriel dans ses bras en sautant très haut.

Elle téléphone à Eliott pour lui annoncer la bonne nouvelle. Devant l'enthousiasme d'Elisa, les parents du jeune garçon acceptent que leur fils participe aussi au stage, à condition qu'il vienne au ski avec eux aux vacances suivantes. Quelques minutes plus tard, Eliott débarque chez la famille trop d'filles avec les restes du dernier gâteau, pour fêter la bonne nouvelle !

– Si ça continue comme ça, on sera trop gros pour danser ! dit Elisa en riant.

Flavia est assise sur le canapé et grignote sa part de gâteau, pensive : « Elisa se bat pour sa passion, et ça lui demande beaucoup d'efforts. Si je n'ai pas de passion, moi, pour quoi je devrais me battre ? ».

TABLE DES MATIÈRES

Susie Morgenstern, l'auteure

Susie est née aux États-Unis. Elle a grandi dans une famille de filles, mais jamais TROP de filles. Et elle a des filles! Et des petites-filles! Elle a l'impression de bien comprendre les filles. Pour elle, un garçon, c'est un extraterrestre!
Elle vit en France depuis la fin des années 1960. Elle écrit en français et elle est l'auteure de nombreux romans, dont le titre *La Sixième* (publié aux éditions de l'École des loisirs).

Clotka, l'illustratrice

Clotka est née dans les années 1980 en Picardie. Sous sa coupe au bol, elle observe la campagne environnante et la dessine sur les murs de sa chambre. Arrivée à Paris, au collège, elle caricature les situations de classe pour se faire des copains. Aujourd'hui, installée en atelier avec d'autres auteurs, elle travaille pour la presse et l'édition jeunesse, la publicité et publie des BD.

Elle aime les vidéos de chatons, cuisiner, râler et être à l'heure.

Tu as aimé ce roman ?
Retrouve d'autres romans de la série !

la famille trop d'filles

premiers romans